cocoricó

O LIVRO

MELHORAMENTOS

Programa COCORICÓ produzido pela TV Cultura - Fundação Padre Anchieta.
Presidente: Paulo Markun
Diretor Vice-Presidente: Fernando José de Almeida
Diretor de Marketing e Captação: Cícero Feltrin
Gerente Cultura Marcas: Silvia Chicca
Direção do Programa: Fernando Gomes
Manipulação e voz dos bonecos: Álvaro Petersen (como: Oriba, Dito e Avó), Eduardo Alves (como: Lola), Enrique Serrano (como: Feito e Toquinho), Fernando Gomes (como: Júlio e Avô), Hugo Picchi (como: Alípio e Astolfo), Magda Crudelli (como: Lilica e Mimosa), Neusa de Souza (como: Zazá e Caco)
Assistente da manipulação: Carlota Joaquina
Direção musical: Hélio Ziskind
Auxiliares de câmera: Rafael Batista
Operadores de UPE: Jair Pimentel dos Santos, Sílvio César de Souza, Carlos Roberto Jardins
Cenógrafo: Márcio Mattos
Contra-regras: César Rafael Astolphi, Marcos Rogério Ribeiro Silva, César Vieira de Oliveira
Figurinistas: Daniela Gimenez, Maria Aparecida Domingos
Auxiliares de iluminação: André Luiz do Nascimento, Márcio Alves Mendonça, Jorge Luiz Dias

Direitos de publicação:
© 2006 Editora Melhoramentos Ltda.

Adaptação dos roteiros originais: Walkíria M. De Felice
Fotografias: Helena de Castro
Projeto gráfico: Rex Design

Dados Internacionais de Catalogação na Publicação (CIP)
(Câmara Brasileira do Livro, SP, Brasil)

Cocoricó: o livro / [adaptação dos roteiros originais Walkíria M.
   De Felice; fotografias Helena de Castro]. - São Paulo:
   Editora Melhoramentos, 2006.

   Vários autores.
   ISBN 85-06-04774-9

   1. Literatura infanto-juvenil I. De Felice, Walkíria M.
II. Castro, Helena de.

06-3660   CDD 028.5

Índices para catálogo sistemático:
1. Literatura infanto-juvenil 028.5
2. Literatura infantil 028.5

Atendimento ao consumidor:
Caixa Postal 11541 - CEP 05049-970 - São Paulo - SP - Brasil

1.ª edição, 3.ª impressão
Outubro de 2007

ISBN: 978-85-06-04774-3

Impresso no Brasil

sumário

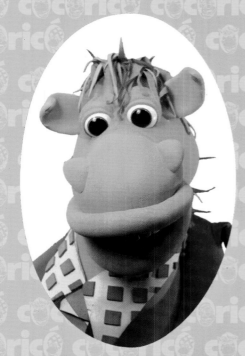

ALÍPIO

ZAZÁ

JÚLIO

LOLA

LILICA

CACO

ASTOLFO

ORIBA

FEITO

DITO

água limpa

Roteiro original:
Rosani Madeira

Uma das coisas que a turminha mais gosta de fazer é ouvir Lola contar histórias. Ela tem um jeitinho todo especial. Toda vez que Lola começa a falar, quem está ouvindo nem pisca. Fica todo mundo em silêncio, sem dar um pio, louco para saber como é que a história vai acabar.

O pessoal já está reunido no paiol, ansioso para que Lola comece a contar a história do dia. E assim ela começa:

— Os caçadores estavam jogando lixo no rio, quando ouviram uma voz que dizia: "Não jogue lixo no rio, por favor".

— Nossa! E quem foi que disse isso? — pergunta Lilica.

— Um menino índio, bem pequeno, que tomava conta do rio — responde Lola.

— Puxa! Que bom, né? Ainda bem que esse indiozinho apareceu — diz Lilica.

Lola continua, explicando que o indiozinho estava ali para tomar conta de toda a floresta.

– Mas, e aí? – quer saber Alípio. – O que é que aconteceu?

– Aí o indiozinho explicou que não se deve jogar lixo no rio porque, senão, a água limpa pode até acabar um dia.

– Nossa! Que horror! Já pensou em ficar sem água limpa? – comenta Lilica, indignada.

Nesse instante, Alípio solta um baita de um bocejo e diz logo em seguida:

- Puxa! Esse barulhinho de chuva está me dando um soninho... Eu vou ficar aqui no meu cantinho, escutando as histórias de vocês.

- Continue, Lolinha, continue - pede Zazá. - Eu estou gostando muito dessa história.

- É, conte mais! - diz Lilica, animada.

Enquanto Lola continua a história, Alípio cai no sono e começa a sonhar...

– Puxa! Estou com uma sede danada. Vou tomar água aqui no riachinho. Epa! Não é possível. O que é que aconteceu com o nosso riachinho? – pergunta ele, assustado.

– Eu avisei! Eu bem que avisei que não podia jogar lixo no rio – reclama Oriba, que acaba de chegar. – E agora, o que vamos fazer?

Alípio, que ainda não havia entendido por que a água do rio tinha desaparecido, pergunta a Oriba o que aconteceu.

- Sabe, Alípio, jogaram tanta coisa dentro do rio que a água sumiu. Sobrou esse monte de lixo no lugar - explica ela.

- Ai, que coisa horrível! E quem fez uma coisa dessa com o rio?

- Alguém que não se preocupa com a natureza - responde Oriba.

Alípio está desesperado com a situação e morrendo de sede. Ele pergunta para Oriba onde encontrar água para beber.

– Não adianta procurar – diz ela. – Não existe mais água limpa para se beber.

– Nossa! Que horror! – exclama Alípio. – Precisamos ir até o paiol avisar o pessoal.

Enquanto isso, no paiol, Júlio segura, assustado, um copo cheio de lixo.

– Puxa, puxa que puxa! O que será que aconteceu? – Júlio pergunta a si mesmo.

Nesse instante, Alípio e Oriba chegam ao paiol.

- Júlio! Júlio! Aconteceu uma coisa horrível! - grita Alípio, esbaforido.

- Eu já estou sabendo, amigos. Eu abri a torneira para pegar água e saiu isto - diz ele, mostrando o copo.

- Oh! Acabou a água limpa do planeta! - diz Oriba.

- E agora, pessoal? O que vamos fazer? - pergunta Júlio, desesperado.

- Não há nada que possamos fazer - explica Oriba.

Alípio, ainda dormindo, começa a gritar que aquilo não podia ser verdade. Lilica, Lola e Zazá tentam acordá-lo, mas Alípio continua dormindo e pede por socorro. Lola então resolve falar mais forte:

– Alípio, acorde! Acorde!

Pouco a pouco, ele vai despertando de seu terrível pesadelo. Quando Alípio acorda totalmente, Lilica diz a ele que tinha ficado muito preocupada.

Zazá, com a maior boa vontade, leva um copo d'água para acalmar Alípio. Mas, assim que vê a água, ele se recusa a beber.

— Não! Não! Eu não quero água — grita Alípio, desesperado. — A água virou lixo!

Alípio fecha a boca bem forte para não engolir nem uma gota d'água sequer.

– Calma, Alípio! Você teve um pesadelo, mas agora está tudo bem – Lola tenta explicar. Mesmo assim, Alípio não quer abrir a boca de jeito nenhum.

Todos esperam um pouco, até Alípio voltar ao normal.

– Isso, Alípio. Tome um pouquinho de água e se acalme – diz Zazá, oferecendo um copo para o amigo.

– É água limpinha. Pode tomar, você vai se sentir melhor – diz Lilica.

– Posso beber mesmo? – pergunta Alípio, mas resolve experimentar.

– Puxa, é água limpinha mesmo! Ai, que bom. Eu adoro água!

Depois que tudo voltou ao normal, Lilica diz ao amigo:

- Sabe, Alípio, ainda bem que você acordou. A Lola está terminando de contar a história do indiozinho. Vamos ouvir?

Assim, Lola recomeça:

- Então o caçador ficou muito envergonhado. Ele começou a recolher todo o lixo que encontrava pelo caminho e, assim, algum tempo depois, as águas dos rios e de toda a floresta ficaram limpinhas de novo.

- Puxa, que história linda, Lola! - diz Lilica.

E todos concordam com ela, batendo palmas para a contadora de histórias.

arte na
natureza

Roteiro original:
Marina Gomes

Alípio e Lola conversam animadamente no quintal. Lola está explicando direitinho o que quer que Alípio faça:

- Você entendeu mesmo o que é para fazer, Alípio?

- Pode deixar, Lolinha. O quintal vai ficar uma belezura!

- Você recolhe as folhas, o mato e tudo o mais que estiver espalhado pelo chão e coloca aqui, nestes cestos - reforça Lola.

- Não tem erro - responde Alípio. - Hum... Nestes cestos? Acho que não vai caber, não.

Enquanto isso, Lilica e Caco estão andando pelo quintal. O papagaio comenta que está com vontade de brincar.

– Puxa, Caco, sabe que eu também? Que tal a gente chamar o Júlio?

– Boa idéia, Lilica! – concorda Caco.

Os dois vão ao paiol procurar o menino. Assim que encontram Júlio, eles o chamam para brincar. Mas ele está tão concentrado desenhando, que não responde.

Lilica se aproxima dele e se admira com os desenhos.

– Puxa, Júlio! Como você consegue fazer isso? – ela pergunta.

– Que legal! Parece mágica – observa Caco.

Júlio pára de desenhar e dá atenção aos dois amigos...

– Oi, pessoal, tudo bem? Vocês viram que desenhos legais? Foi a Lola que me ensinou – diz ele.

– Você desenhou uma folha perfeita – fala Caco.

– Que giz de cera é esse? – pergunta Lilica.

– É um giz de cera normal – ele explica. – O segredo está aqui: eu coloco uma folha de árvore aqui, o papel por cima da folha e depois passo o giz de cera no papel.

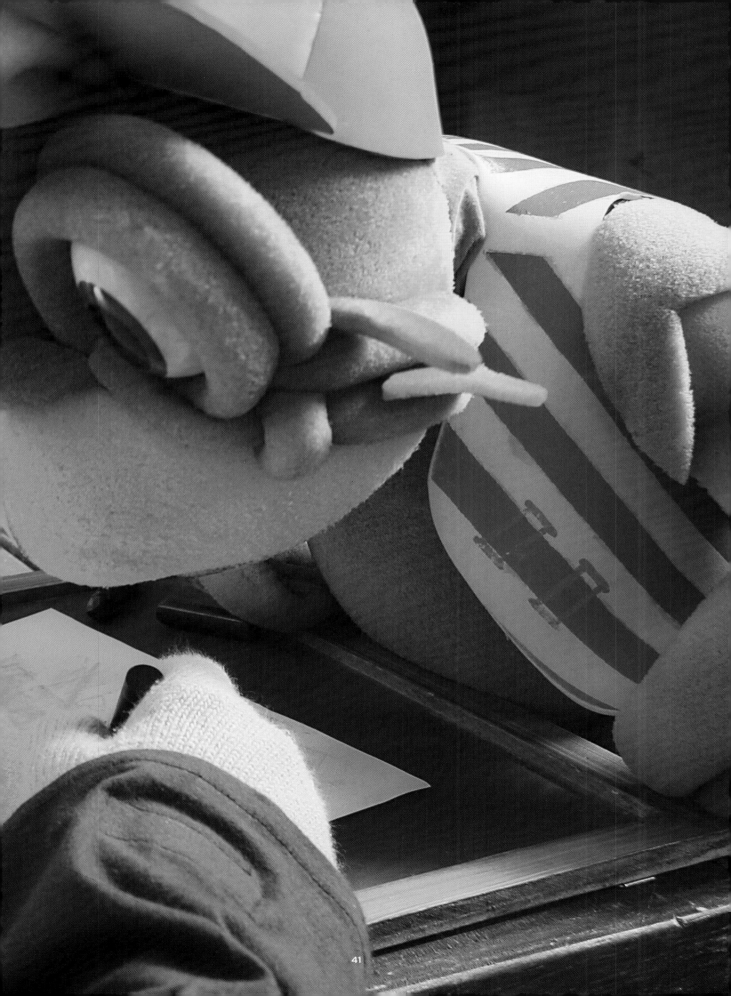

Caco e Lilica ficam superanimados e também querem desenhar.
- Você tem mais folhas de árvores aí? - Lilica pergunta ao Júlio.
- Não, não tenho. Tenho somente estas - responde ele.
- Mas isso não é problema - fala Caco. - É só arrancar umas por aí.
- Arrancar, não, Caco. Tem de pegar as folhas que já caíram - diz Júlio.

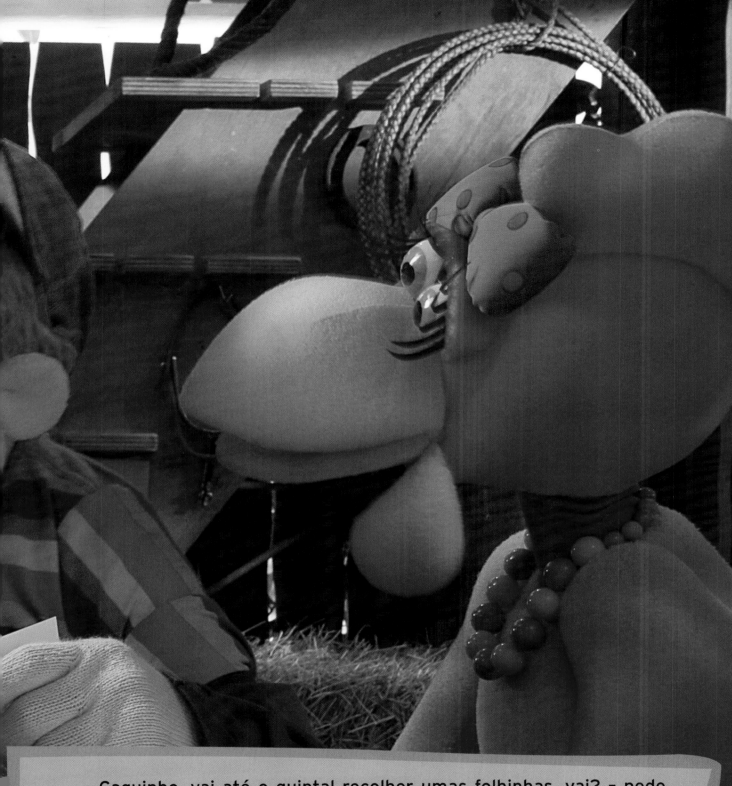

– Caquinho, vai até o quintal recolher umas folhinhas, vai? – pede Lilica toda dengosa.

– Por que eu? – quer saber o papagaio.

– Nossa! O que custa para você? – resmunga Lilica.

– Puxa, puxa que puxa, pessoal – Júlio interrompe. – Vocês não vão brigar por causa disso, né?

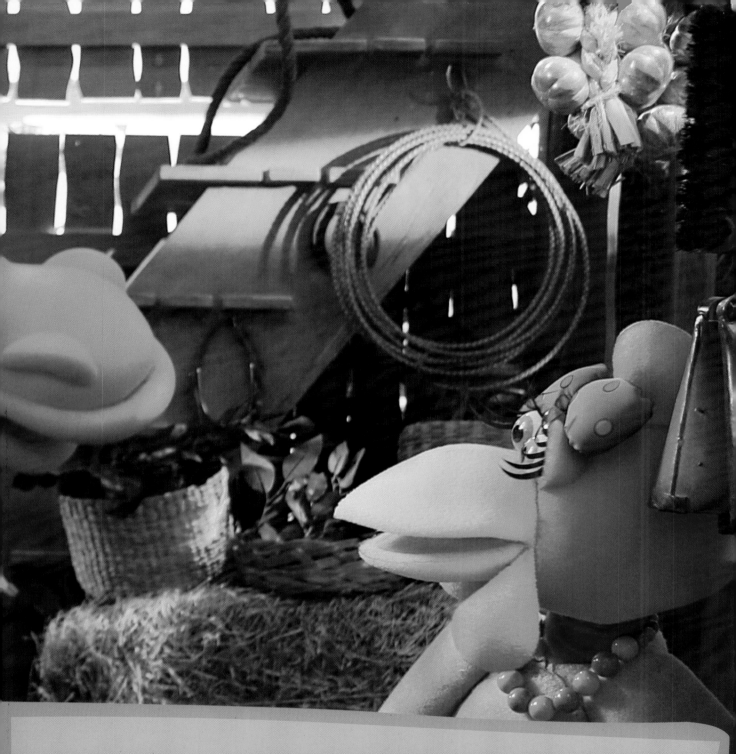

Nesse instante, Alípio chega ao paiol com os cestos cheios de folhas.

- Pronto! Deu um trabalhão enorme, mas eu terminei.

- O que é que tem nesses cestos, Alípio? - pergunta Júlio.

- São coisas que a Lola pediu para eu recolher no quintal. Tem matinhos, cipós e mais um montão de folhas - responde ele.

- Folhas? Folhas? Você disse folhas? - quer saber Lilica.

- Ué? Eu disse. Por quê? - Alípio pergunta.

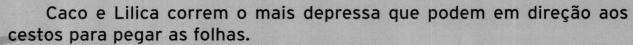

Caco e Lilica correm o mais depressa que podem em direção aos cestos para pegar as folhas.

— Ei, esperem aí, esperem aí — pede Alípio.

Mas os dois nem ouvem. Correm para os cestos, procurando as folhas mais bonitas e espalhando tudo o que Alípio tinha juntado.

— Ai, ai, ai! A Lola vai ficar brava comigo — diz Alípio, desesperado.

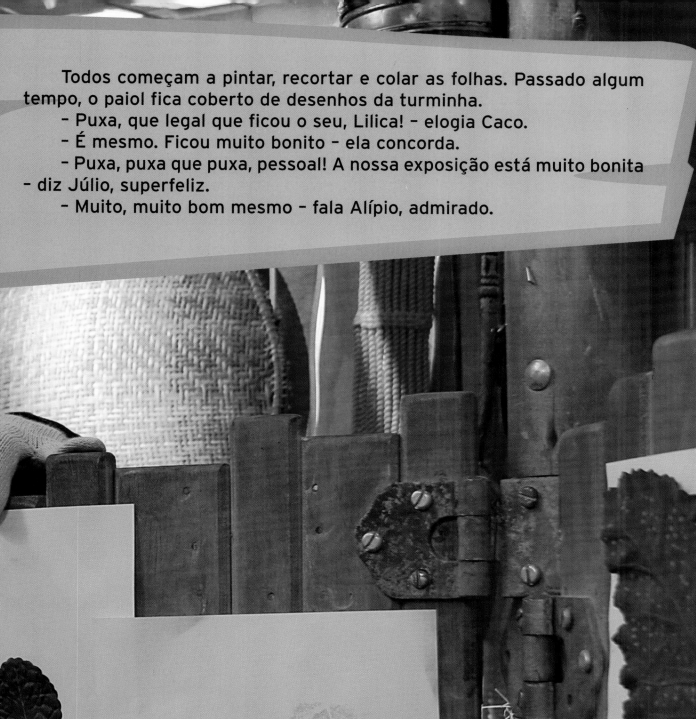

Todos começam a pintar, recortar e colar as folhas. Passado algum tempo, o paiol fica coberto de desenhos da turminha.

– Puxa, que legal que ficou o seu, Lilica! – elogia Caco.

– É mesmo. Ficou muito bonito – ela concorda.

– Puxa, puxa que puxa, pessoal! A nossa exposição está muito bonita – diz Júlio, superfeliz.

– Muito, muito bom mesmo – fala Alípio, admirado.

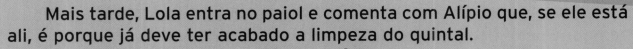

Mais tarde, Lola entra no paiol e comenta com Alípio que, se ele está ali, é porque já deve ter acabado a limpeza do quintal.

– Terminei, sim, Lola – confirma Alípio.

– Mas, se o cesto está vazio, onde foi parar o que você recolheu? – pergunta Lola.

– Sabe o que é, Lola? – diz Júlio. – Veja estes desenhos aqui! E aqueles ali também.

– Oh, ma-mas... – Lola gagueja.

– Não fique nervosa, Lolinha. Eu não tive culpa – explica Alípio.

- Mas, crianças, está... está... está tudo uma beleza! - diz Lola. - Não me digam que foram vocês que fizeram esses trabalhos!

- Este aqui, Lola, foi você que me ensinou a fazer - mostra Júlio. - E este aqui foi o Alípio quem fez.

- E este fui eu - aponta Caco.

- Lolinha, dá uma olhada neste aqui - diz Lilica. - É meu!

- Mas o que é isso, querida? - pergunta Lola.

- É uma árvore do quintal - explica Lilica.

- Árvore do quintal? Ah, ah, ah! Isso aí parece um matagal! - diz Caco.

- Pare com isso, Caco - pede Lilica.

- Este trabalho está muito interessante... - comenta Lola. - Vejam como a Lilica distribuiu bem os galhinhos.

- Puxa, puxa que puxa! Parece que as folhas estão se mexendo - observa Júlio.

- É mesmo - concorda Alípio. - É como se elas quisessem sair do papel, né?

- E as cores, então? Um pouco de verde-escuro aqui, verde-claro ali. Ah, Lilica, eu adorei! - elogia Lola.

Muito entusiasmada com o que vê, Lola sugere chamar todo o pessoal da fazenda para ver a exposição de arte.

– Ah! Eu vou chamar a Vovó – lembra Júlio.

– E eu vou buscar a Mimosa – diz Lilica.

– Não podemos esquecer do avô do Júlio, da Oriba e do vaqueiro Leonardo – completa Caco.

Então, todos saem para chamar o pessoal, e apenas Caco fica no paiol.

– Puxa! Ninguém falou do meu desenho.

Caco vai até o desenho de Lilica e, depois de observá-lo por um bom tempo, diz:

– E não é que o desenho da Lilica ficou bonito mesmo?

Nesse instante, Lilica entra e chama o amigo:

– Caquinho, vamos lá buscar o resto da turma.

– Puxa, é mesmo! Eu já estou indo, Lilica – ele responde. – Espere por mim.

E os dois saem conversando sobre como é gostoso desenhar.

seres vivos

Roteiro original:
Rosani Madeira

Júlio está no paiol, cuidando de um vasinho de planta, quando Lilica e Alípio chegam.

— Oi, Júlio – diz Lilica. – Puxa! Que florzinha mais linda!

— O que é que você está fazendo, Julião? – pergunta Alípio.

— Lá na escola, a professora mandou cada aluno cuidar de alguém; eu escolhi esta flor – responde ele.

— Ah, eu queria tanto ter alguém para cuidar... – comenta Alípio.

— Eu quero cuidar de um bichinho – decide Lilica. – Você me ajuda a encontrar um, Júlio?

— É pra já! – responde ele.

Em seguida, eles vão até o quintal para procurar um bichinho. Pouco depois, Lilica volta, feliz, com um gatinho.

- Júlio! Veja só o que eu encontrei!
- Puxa, puxa que puxa! É um gatinho! - observa Júlio.
- Ah, ah! Eu vou cuidar dele. Bonitinho, né?
- Sim! É muito bonito e ainda é filhotinho - diz Júlio. - Onde será que a mãe dele está?

– Hum... Não sei. Quando o encontrei, ele estava sozinho – ela explica.

– Puxa, puxa que puxa, Lilica. Você podia dar leite para ele, enquanto a mãe dele não aparece, né?

– Boa idéia! Vamos pedir leite para a Mimosa? – sugere Lilica.

Enquanto Lilica e Júlio vão buscar leite para o gatinho, Alípio ainda está procurando alguém para cuidar. De repente...

– Êta, sô! Que pedra mais bonita – e CHUAC! Alípio dá aquele beijo na pedra. – Nossa! Mas ela está tão fria, tadinha. Precisa de um cobertor!

Acontece que, sem que Alípio perceba, Oriba chega ao local e se esconde atrás de uma árvore. Querendo fazer uma brincadeira com o amigo, ela responde como se fosse a pedra:

– Oh, mas é que eu sou fria mesmo, Alípio.

Assustado, Alípio pergunta quem é que está falando com ele.

– Sou eu, Alípio, a pedra – responde a pedra, ou melhor, Oriba.

– Ué? Mas você fala? Que legal! – diz Alípio, espantado.

– Eu falo, canto e estou com fome – responde Oriba, ainda como pedra.

– Ah, é? Pode deixar, Dona Pedra. Eu vou cuidar de você direitinho.

– Obrigada, Alípio. Você é muito bonzinho!

– Deixa comigo! Eu vou buscar comida e já volto. Olha, não saia daí, tá?

– Não saio, não, Alípio – responde ela.

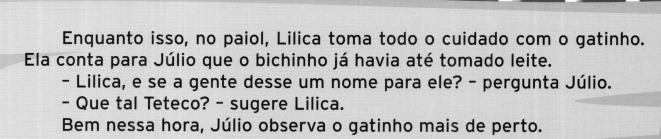

Enquanto isso, no paiol, Lilica toma todo o cuidado com o gatinho. Ela conta para Júlio que o bichinho já havia até tomado leite.

– Lilica, e se a gente desse um nome para ele? – pergunta Júlio.

– Que tal Teteco? – sugere Lilica.

Bem nessa hora, Júlio observa o gatinho mais de perto.

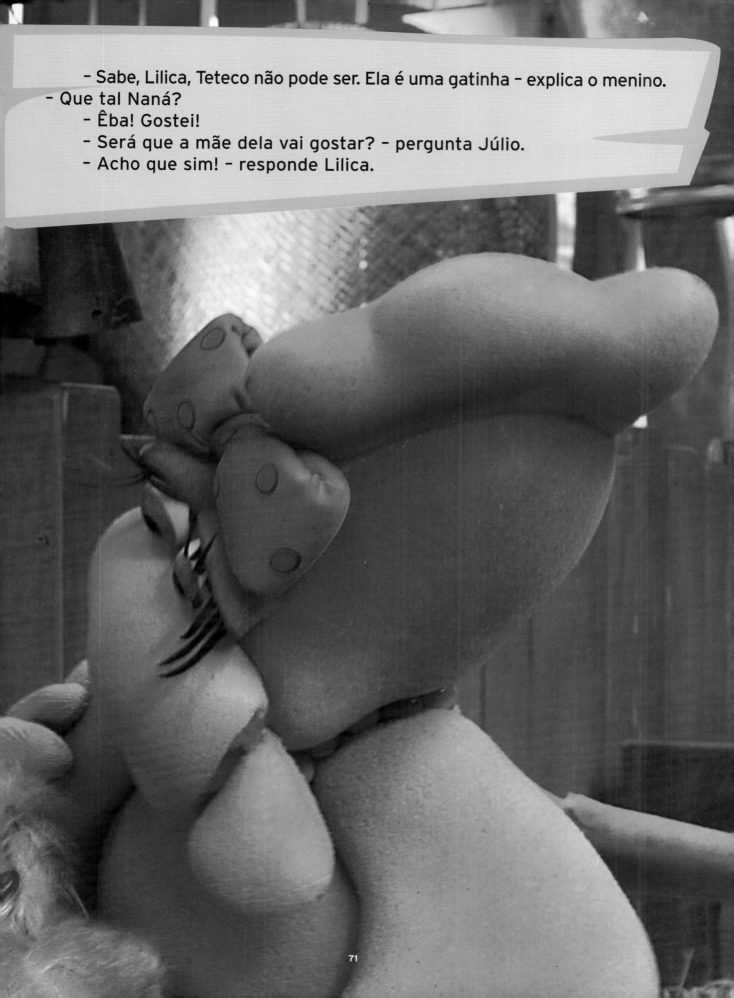

— Sabe, Lilica, Teteco não pode ser. Ela é uma gatinha – explica o menino.

— Que tal Naná?

— Êba! Gostei!

— Será que a mãe dela vai gostar? – pergunta Júlio.

— Acho que sim! – responde Lilica.

Nesse instante, Alípio chega correndo ao paiol, gritando:
- Pessoal! Pessoal! Eu encontrei um ser vivo que falou comigo.
- É algum amigo nosso? - pergunta Lilica, curiosa.
- É surpresa! Vocês querem ver?
- Queremos, queremos, sim - respondem Júlio e Lilica, animados.
- Ah! Não posso esquecer de levar uma espiga para ela - lembra Alípio.
Eles saem e Lilica deixa Naná no paiol brincando com o vasinho de Júlio.

Pouco depois, os três chegam ao local onde a pedra está, e Alípio faz as apresentações.

— Esta aqui é a minha nova amiguinha!

— Ô, Alípio! Isso aí é uma pedra — observa Júlio.

— É, sim — ele confirma. — E ela falou comigo.

— Falei e falo de novo — disfarça Oriba.

— Nossa, Júlio! A pedra está falando! — diz Lilica, admirada.

75

Alípio, todo entusiasmado, explica que a pedra sabe até o seu nome. Mas Júlio já desconfia que tem alguma coisa estranha naquilo tudo.

– Veja, Dona Pedra. Eu trouxe uma espiga de milho para você – diz o ingênuo Alípio.

– Ah, ah, ah! Que bom. Eu adoro milho! – diz Oriba, ainda como pedra.

– Opa! Opa! Opa! – reage Júlio. – Eu conheço essa risadinha... É a Oriba!

– Surpresa! – aparece a indiazinha. – Eu só quis fazer uma brincadeirinha com o Alípio.

– E eu acreditei que a pedra estava viva... – comenta Alípio, decepcionado.

Depois de tudo esclarecido, Júlio promete a Alípio que vai ajudá-lo a encontrar alguém para ele cuidar.

— É isso aí, Alípio. Eu encontrei um gatinho! — diz Lilica, querendo animar o amigo.

— Que tal um macaco? — sugere Oriba.

- Eh, eh, eh! Sabem? Acho que já encontrei alguém para cuidar - avisa Alípio.

- E de quem vai ser? - pergunta Júlio, supercurioso.

- Da minha barriguinha - explica Alípio. - Ela já está pedindo um monte de cenouras.

Todos acham graça da nova amiga do pangaré.

Depois que o pessoal vai embora, Júlio decide fazer uma surpresa para Astolfo. Ele sabe que o porquinho vai adorar conhecer a Naná. Então, Júlio passa no paiol, pega a gatinha e vai encontrar o amiguinho.

– Oi, Astolfo! Esta aqui é a Naná, a gatinha da Lilica.

– Naná! Naná! Ah, ah, ah! Que nome mais engraçado – ri o porquinho.

– Ela apareceu lá no quintal e estava com muita fome! – diz Júlio.

– A Lilica, então, foi buscar leite fresquinho da Mimosa.

- Júlio, eu sei como a Naná fala. Quer ver? Miaaauu! Miaauu! - imita Astolfo.

- É isso mesmo! A Lilica vai cuidar da Naná porque ela é muito pequenininha e não pode ficar sozinha - explica Júlio.

- Então a Lilica vai ter de limpar o cocô dela, porque ela faz cocô como eu... na fralda. - avisa Astolfo.

- É verdade! Mas pode ter certeza de que a Lilica vai tomar conta dela direitinho - diz Júlio.

Júlio comenta que também está cuidando de alguém... uma planta. E pergunta a Astolfo se ele não tem ninguém para tomar conta.

— Eu? Ah, eu tenho sim. É o Tonho – responde Astolfo, mostrando seu brinquedo.

— Só que ele não fala, ele não brinca... – observa Júlio.

De repente, assustada com um movimento brusco de Astolfo, Naná sai correndo.

— Epa! A Naná se assustou e fugiu – diz Júlio.

— Ah, ah, ah! O Tonho não foge, a Naná foge – brinca Astolfo.

— Eu vou atrás dela, senão a Lilica vai dizer que eu não cuidei direito da gatinha. Fui! – e Júlio sai correndo.

— Viu só, Tonho? Eu cuido direitinho de você. E só eu sei que você fala e brinca comigo.

Astolfo então dá um beijo em Tonho e brinca feliz com seu amiguinho!

animais melequentos

Roteiro original:
Cláudia Dalla Verde

No paiol, Mimosa está agitada, e não pára um segundo sequer.
- O que foi, Mimosa? - pergunta Lola. - Você parece desconfortável.
Lilica, que estava com elas, pergunta a Lola o que quer dizer a palavra "desconfortável".
- Desconfortável é o contrário de confortável, que é quando a gente se sente bem, à vontade, num lugar gostoso como o nosso paiol - explica Lola.

- Isso quando não faz tanto calor, não é? Com o calor aparecem as moscas, e elas me deixam maluca – reclama Mimosa.

- Você mexe a cauda para espantar as moscas? – pergunta Lilica.

- É para isso que serve a cauda das vacas, querida. Eu acho... – responde Mimosa.

Lilica se oferece para ajudá-la, abanando com seu leque.

- Ah! Que coisa prática é um leque! As vacas deveriam nascer com um leque na cauda – diz Mimosa, toda feliz.

Enquanto isso, na cozinha da fazenda, Júlio e Oriba conversam animados.

- Júlio, me dá um pouquinho de doce de abóbora?

- É claro, Oriba. Mas... me dá um pouquinho de doce de abóbora e o que mais?

- E o que mais o quê, Júlio? O que você quer que eu fale? - pergunta Oriba, intrigada.

- Ah, Oriba. Diga "por favor" - explica Júlio.

- Por favor, você pode me dar um pouquinho de doce de abóbora?

- Ah! Agora sim. O doce está em cima da mesa. Sirva-se à vontade - oferece Júlio.

Quando vai pegar o doce, Oriba solta um grito assustador e sai correndo pela cozinha.

– Você tem medo de doce de abóbora? – pergunta Júlio.

– Do doce, não! Mas da barata que está em cima dele, sim!

– Puxa, puxa que puxa! Desculpe, Oriba, eu devia ter coberto o doce com um pratinho, como a Vovó faz. Mas eu já vou dar um jeito nessa barata.

Júlio pega o sapato e – BLAM! – esmaga a barata no prato de doce. Isto é, pensa que esmaga, porque, quando ele levanta o sapato do prato, cadê a barata?

– E então, Júlio, matou a barata? – pergunta Oriba.

– Não, não acertei na barata – explica o menino.

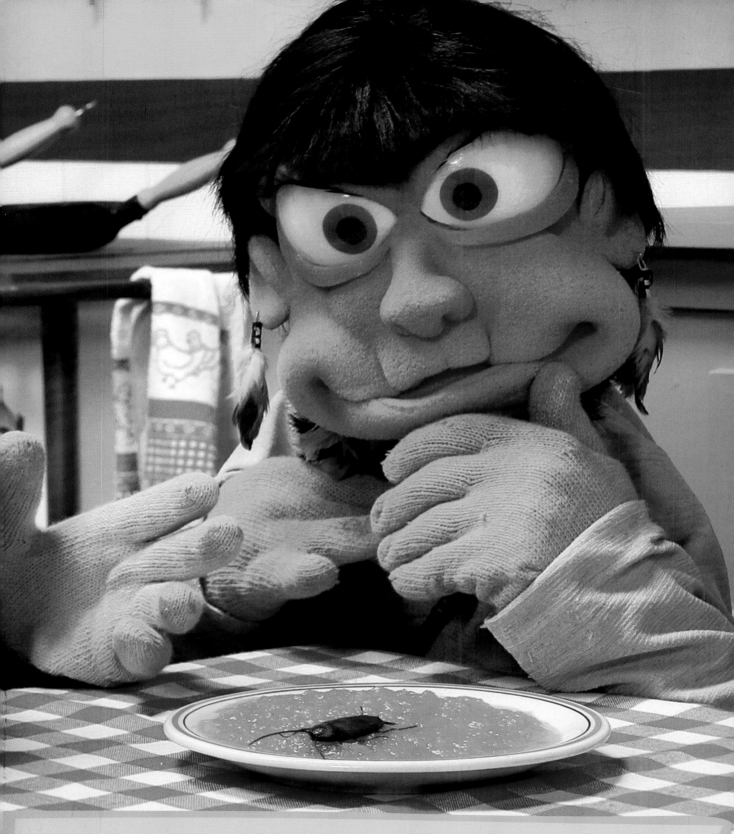

— Quer dizer que ela ainda deve estar por aqui, vivinha da silva?

— É. Você me ajuda a procurar? — pede Júlio.

— Eu?! Nem morta! Depois que você achar e matar essa barata, você me encontra lá no paiol. Tchau!

Enquanto isso, no paiol, Mimosa continua reclamando das moscas, dizendo que elas só existem para incomodar os animais.

– É mesmo – concorda Lilica. – As moscas deixam a gente muito desconfortável.

– Vocês sabem que o gosto delas não é tão ruim? – comenta Caco.

– Nossa! Vai me dizer que você já comeu mosca? – pergunta Lilica.

    – Uma vez, quando eu estava falando com o bico bem aberto, entrou uma mosca e eu engoli sem querer.

    – E que gosto tinha, Caco? – pergunta Lilica.

    – Gosto de mosca, ora! – responde ele.

Bem nesse momento, Oriba chega ao paiol e, ouvindo o final da conversa, fala:

    – Eca! Gosto de mosca. Eca!

Lola pergunta a Oriba o que aconteceu, pois ela está com uma carinha de nojo.

– Eu fui comer doce de abóbora e tinha uma barata no doce. Aiiii! – responde Oriba.

Todos que estão no paiol ficam olhando para ela, sem falar nada. Oriba estranha aquele silêncio e pergunta se eles ouviram o que ela havia falado.

– Ouvimos, sim. Que tinha uma barata no doce de abóbora. E, depois, aconteceu alguma coisa ruim? – pergunta Caco.

– Depois? O que pode ser pior do que uma barata num doce de abóbora? Vocês não têm nojo de barata?

Todos respondem que não. Mimosa, então, explica que os animais não sentem nojo.

    – Ah! Eu morro de nojo de barata – diz Oriba. – Eu tenho nojo de todos os animaizinhos pequenos, pelados, melequentos e repelentes. Só de pensar em encostar num, me dá uma coisa. Aiii!

Enquanto isso, na parte de cima do paiol, Feito pergunta a Dito o que está acontecendo lá embaixo.

– É a Oriba. Ela está dizendo que tem nojo de animais pequenos, pelados e melequentos. Puxa, Feito, será que ela estava falando de você? – pergunta Dito.

– O que é isso, bobalhão? Eu posso ser pequeno e pelado, mas não sou melequento – reclama Feito.

– Então, não sei. Mas ela deve tomar cuidado, porque em dias quentes como hoje o paiol fica cheio de bichos melequentos... E se um grudar no cabelo dela, já viu, né? – argumenta Dito.

— Ei, bobalhão! Tive uma idéia. Vamos dar um susto na Oriba? Vamos pegar um bicho bem melequento, mas melequento de verdade, e grudar no cabelo dela!

— Puxa! Que idéia boa você teve! – concorda Dito.

— Então vá procurar o bicho mais melequento do paiol – ordena Feito.

Lá embaixo, Oriba não consegue mudar de assunto e diz a Lola que gostaria que existisse um jeito de espantar as baratas.

– Me diga uma coisa, Oriba, todas as meninas ficam como você quando vêem uma barata? – pergunta Lola.

– Todas. Todas as meninas do mundo – confirma Oriba.

– E todos os humanos do mundo têm medo de baratas? – quer saber Caco.

– Medo não, nojo! Todos têm. Eu sei que têm. Têm sim – responde ela.

Nesse instante chega Júlio, segurando a barata na mão. Quando vê a cena, Oriba quase desmaia de susto.

– Júlio, Júlio, Júlio! Se você não jogar essa barata fora agora mesmo, eu nunca mais brinco com você – promete Oriba, saindo do paiol.

– Puxa, puxa que puxa. Eu pensei que ela ia ficar contente porque eu peguei a barata – diz Júlio, chateado.

Lilica não consegue entender por que tanta confusão por uma simples barata. Afinal, outros bichos também andam pela cozinha, e Oriba nunca diz nada.

— É mesmo. Outro dia fiquei conversando com a avó do Júlio, enquanto ela debulhava milho. Ela até me deu uns grãozinhos — relembra Caco.

— Eu acho que é porque vocês são bichos conhecidos. E essa barata ninguém conhece — comenta Júlio. — Esperem um pouco que vou perguntar para a Vovó. Fui!

103

Júlio chega correndo na cozinha e encontra Vovó e Oriba conversando.

– Vovó, olhe só o que eu achei na cozinha – diz ele.

– Júlio, não se deve andar pra lá e pra cá com uma barata na mão – explica Vovó.

– É, lá vem ele com essa barata de novo! – diz Oriba.

– Mas por que você tem tanto medo de barata, Oriba? – pergunta Júlio, curioso.

– Medo, não. É nojo! – esclarece a indiazinha.

– É que as baratas são animais perigosos para os humanos, Júlio. Elas andam pelos canos de esgoto e pelos lugares sujos, carregando muitos micróbios nas patinhas. Depois, elas passam sobre os alimentos e, se a gente comer, corre o risco de pegar doenças – explica Vovó.

Terminada a explicação, Vovó diz que já é muito tarde e que Júlio deve ir dormir e Oriba voltar para casa.

— E você, Júlio, que ficou passeando o tempo todo com a barata, trate de lavar as mãos muito bem lavadinhas com sabão — pede Vovó.

— Está certo, Vovó. Oriba, quando você passar no paiol, avise o pessoal que ficou tarde para brincar e que amanhã eu conto para eles por que as baratas são perigosas para a gente.

- E... - diz Oriba.
- E o quê? - pergunta Júlio.
- E "por favor", né!
- Tá bom, Oriba, por favor.
- Agora, sim. Tchau!

Enquanto isso, escondido no paiol, Feito avisa Dito que Oriba está chegando.

– Quando ela passar, você abre o vidro e joga no cabelo dela todos os animais nojentos que pegou, certo? – confirma Feito.

E assim fizeram. Os bichinhos caíram no cabelo de Oriba. A turminha do paiol, no entanto, fica admirada quando vê Oriba.

– Nossa! Você está linda com esse cabelo cheio de estrelinhas brilhantes – diz Lola.

– É mesmo? Ai, que lindo! – diz Oriba. – Vou me espelhar na lagoa. Ah! O Júlio mandou avisar que só pode vir amanhã. Aí ele conta tudo sobre a história da barata. Tchau!

Na parte de cima do paiol, Feito, para variar, está dando uma bronca em Dito.

– Seu bobalhão! Eu falei para você só pegar os animais melequentos, grudentos e nojentos.

– Eu sei, Dito, mas foi ficando escuro e aqueles foram os únicos que consegui pegar. Eu pensei que a Oriba tivesse nojo deles também.

– Bem, pelo menos uma coisa a gente aprendeu... Os humanos não têm nojo de vaga-lumes!